Directeur de l'édition
Laurent Lachance

**Direction artistique
et conception graphique**
Dufour et Fille, Design inc.

Commercialisation
Jean-Pierre Dion

Diffusion
Presse Import Léo Brunelle inc.
307 Benjamin-Hudon
Saint-Laurent, Montréal, Québec
H4N 1J1
(514) 336-4333

ET

Éditions Télémédia inc.
Groupe Marketing Direct
2001, rue Université
9e étage
Montréal (Québec)
H3A 2A6
(514) 499-0561

Dépôt légal : 4e trimestre 1989
Bibliothèque nationale du Québec
Bibliothèque nationale du Canada

ISBN 2-551-12294-5

Imprimé au Canada

Pruneau, Cannelle et les FOURMIS

Texte de
Marielle Richer

Illustré par
Michèle Devlin

 Éducation Québec

 Radio Québec

Ce matin, Pruneau cherche de la compagnie en attendant Cannelle. Il ne trouve aucune fourmi près du nid et ne comprend pas. Depuis plusieurs jours, il n'a pas vu Milly, son amie fourmi, ni personne de sa famille.

Pruneau regrette les matins où les fourmis l'attendaient pour aller jouer au parc. Même que, certains jours, elles se bousculaient pour grimper dans son camion.

Tout à coup, Cannelle arrive en courant et s'arrête net à dix pas de Pruneau. Elle lui crie de venir voir.

Elle vient d'apercevoir une longue procession de fourmis.
Pruneau accourt sur place et reconnaît Milly.

— Milly, crie Pruneau, mais où étiez-vous donc passées
tout ce temps-là?

— Vous déménagez? demande Cannelle.

14

— Il le faut bien, regardez… la pollution nous rend malades. J'amène ma famille à la campagne. Il paraît que, là-bas, l'air est meilleur pour la santé.

Et Milly se met à raconter que les plus jeunes ne digèrent plus la moindre miette de feuille. Elles refusent de manger et rapetissent de plus en plus.

D'autres ont développé de l'asthme et respirent difficilement.

Quelques-unes ont des bosses et d'autres des taches
un peu partout.

19

Certaines souffrent d'allergies ou de démangeaisons.

Il y a en a même qui ont changé de couleur et sont très inquiètes.

Milly est certaine que c'est
la pollution des villes qui
est responsable de tous
leurs ennuis. Elle a entendu
dire que la pollution vient
de la fumée des cheminées
et des autos. Toutes ces
fumées montent dans les
airs et s'accrochent aux
nuages.

22

— C'est grave, vous savez,
même la pluie n'est plus
propre, déclare Milly.

Et Milly ajoute que les arbres aussi sont malades
à cause de cette pluie souillée.

— C'est décourageant, dit Cannelle, parce que les nuages, on ne peut pas les laver.

Pruneau est triste de voir ses amies dans cet état et refuse de les voir partir. Il leur propose de venir vivre chez lui à l'abri de la pollution. Milly remercie Pruneau mais ne peut accepter de vivre toujours enfermée dans une maison avec sa famille.

Il doit bien y avoir une autre solution…

Pruneau offre à Milly de les amener toutes au parc le temps de faire leurs adieux. Milly accepte et les fourmis montent dans le camion.

Chemin faisant, Cannelle propose de trouver des idées pour arrêter cette pollution de malheur avant que tout le monde devienne malade. Chacun y va de son idée.

— Moi, je propose qu'on fasse fonctionner les autos autrement.

— Avec une grosse pile dans le moteur.

— Avec une commande à distance.

— Avec un rayon laser…

Cannelle approuve l'idée des autos sans fumée et Pruneau suggère d'installer un filtre sur toutes les cheminées. Mais comment faire pour avertir tout le monde que la pollution rend malade et qu'on doit l'arrêter au plus vite? Cannelle trouve que la meilleure idée, ce serait d'aller expliquer le problème à la télévision.

38

Milly pense que personne ne va vouloir les écouter parce qu'elles sont trop petites.

— Ce n'est pas la grandeur qui compte, dit Pruneau.

— C'est ce qu'on fait qui est important, ajoute Cannelle.

Milly se laisse convaincre et c'est ainsi que la grande famille des fourmis s'est retrouvée, un jour, à la télévision pour demander au monde entier d'arrêter de salir les nuages.

C'était juste avant l'émission d'Alakazou.

Tout le monde a été bien impressionné de voir les fourmis si malades. Même Alakazou en a parlé à son émission.

Pruneau et Cannelle sont très contents du message des fourmis à la télévision et ils espèrent qu'on va vite trouver des solutions pour arrêter la pollution.

Depuis, Milly et sa famille se sont installées à la campagne avec la promesse que Pruneau et Cannelle viendront les chercher dès que les nuages seront redevenus comme avant.

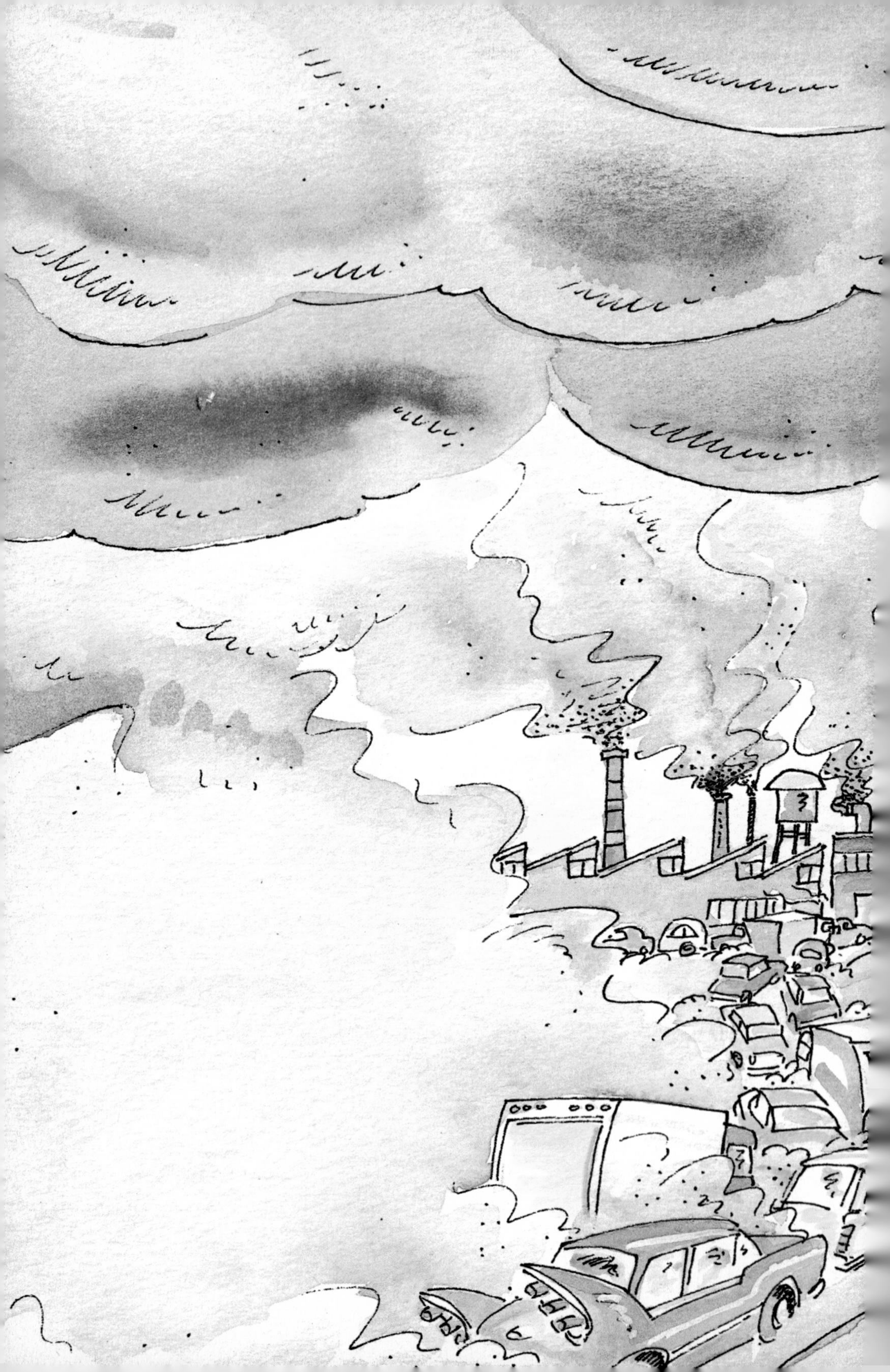